LA MAGIE DU TOFU

Design graphique: Pierre Dostie
Montage: Monique Milon
Photos: Pierre Gaudard
Collaboration: Richard Milon

ISBN 2-7604-0167-7
Dépôt légal: 1er trimestre 1982
8283848586 1 2 3 4 5

Imprimé au Canada

LA MAGIE DU TOFU

80 recettes simples et économiques

Yvon Tremblay,
chef-cuisinier
en collaboration avec
Frances Boyte,
diététiste

Montréal-Paris

Attention!

Le système métrique que l'on propose aux Nord-américains est adapté à leurs habitudes. Par exemple, au Canada on continue de mesurer au volume et au lieu de compter en « tasses », on transcrit en millilitres.

En France, les mesures des solides se font au poids et sont transcrites en grammes.

Les conversions sont, de ce fait, souvent boîteuses.

Pour simplifier la tâche à nos lecteurs, les recettes ont été expérimentées dans les deux systèmes originaux: métrique et impérial. C'est pourquoi nous faisons une mise en garde: Choisissez le système de mesure qui vous convient et tenez-vous-y jusqu'à la fin.

Table des matières

Recettes

Hors-d'oeuvre

Soupes et potages

Salades

Vinaigrettes

Plats de résistance

Desserts

Avant-propos

La fève de soya est connue depuis très longtemps. En Chine, cette légumineuse est cultivée depuis plus de 2 000 ans et les habitants de ce pays, dont la majorité ne consommait ni oeuf, ni viande, y ont trouvé toutes les protéines nécessaires à leur alimentation.

La fève de soya est tout aussi fabuleuse que le blé qui forme la base de l'alimentation quotidienne par ses nombreuses transformations: pain, pâtes, pâtisseries, les trois célèbres « p ».

On extrait le tofu de la fève de soya. Ses nombreuses qualités sont encore méconnues. Le tofu est une substance nutritive riche en protéines et en minéraux, pauvre en calories et en gras et ne possédant aucune trace de cholestérol. De plus il se prête à la préparation d'une foule de mets, hors d'oeuvre, soupes et potages, plats de résistance, salades, desserts et repas légers. On attribue sa versatilité à son goût neutre qui s'harmonise parfaitement à toutes les saveurs salées, sucrées et acides.

Le tofu se sert nature (émietté, en cubes, en purée) dans les salades, vinaigrettes, sauces, desserts, ou cuit dans toute préparation qui demande une cuisson (soupes, plats de résistance). Sa texture onctueuse enrichit les sauces et les crèmes.

En expérimentant chacune des 80 recettes présentées dans **La Magie du Tofu**, j'ai pensé à vous qui vous préoccupez de votre santé, du goût raffiné des aliments, du temps que vous avez à consacrer à cuisiner, et aussi de votre budget.
Le tofu, c'est l'or blanc des années 80.
Le découvrir c'est l'adopter et l'adapter à toutes les sauces.

Yvon Tremblay

Les avantages santé du tofu:

Souvent reconnu comme la viande sans os, le tofu est un excellent substitut de la viande.

La valeur nutritive d'un aliment dépend de la quantité et de la qualité des protéines qu'il contient.

Comme cette dernière, le tofu est riche en protéines, mais il diffère de la viande par sa plus faible quantité de gras saturé, de cholestérol et de calories.

Le tofu contient de 6 à 8% de protéines; un tofu de fabrication commerciale pourrait en contenir jusqu'à 20%.

Portion de 3 onces (90 g)

	Tofu régulier	Tofu commercial	Boeuf maigre haché
Protéines	7 g	15 g	24 g
Gras	3.7 g	2.7 g	13 g
Calories	64	99	220

L'analyse nutritive des recettes suivantes démontre les avantages à substituer ou diminuer la viande dans vos recettes quotidiennes.

	Salade aux oeufs	Salade sans oeuf au tofu
Par portion		
Protéines	14 g	34 g
Gras	28 g	9 g
Calories	314	253
Cholestérol	544 mg	trace

	Ragoût de boeuf	Ragoût au tofu
Par portion		
Protéines	29 g	21 g
Gras	17 g	10 g
Calories	335	275
Cholestérol	109 mg	trace

	Crème fouettée	Crème fouettée au tofu
¼ de tasse (60 ml)		
Protéines	1 g	9 g
Gras	18 g	2 g
Calories	50	20
Cholestérol	78 mg	8 mg

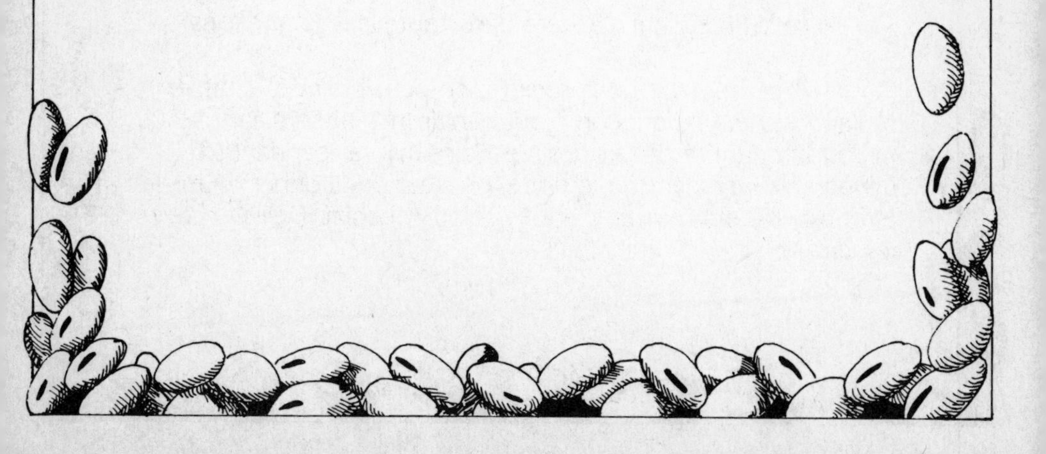

Préparation du tofu

1e Pour environ une livre de tofu, faire tremper 2 tasses de fèves de soya de 6 heures minimum à 12 heures maximum.

2e Dans un mélangeur, broyer une tasse de fèves pour trois tasses d'eau chaude (non bouillante) à la fois.

3e Poser sur une casserole (*) une passoire doublée d'un coton à fromage. Y verser une partie du mélange. D'une main former un sac avec le tissu et de l'autre main presser fortement pour extraire le lait. Répéter la même opération pour le reste du mélange [1].

(*) Il est préférable d'utiliser une casserole en aluminium à fond épais. Le lait a tendance à coller dans la fonte émaillée et prend beaucoup plus de temps à parvenir au point d'ébullition.

4e Mettre la casserole sur un feu entre « médium » et « très chaud » et chauffer jusqu'à ébullition. Pendant ce temps, préparer ½ tasse (125 ml) d'eau chaude et 2 c. à thé (10 ml) de sel d'Epsom[2]. Retirer la casserole dès que le point d'ébullition sera atteint[3].

---

(1) La pulpe de soya qui reste peut être séchée au four dans une lèchefrite à une température de 300° pendant 3 heures environ. Brasser de temps à autre afin qu'elle ne brûle pas. Elle peut être utilisée dans les croquettes, granola ou pain de soya.

(2) Le sel d'Epsom s'achète dans toutes les pharmacies.

(3) À cette étape de la recette, on peut prélever 2 tasses de lait (500 ml) (auquel on ajoute environ 1 tasse d'eau) (250 ml) ou la quantité de lait désirée. Faire mijoter pendant 20 minutes. Au moment de le boire, on peut additionner de miel et/ou vanille et/ou sirop d'érable et/ou chocolat. Délicieux avec les céréales.

5e Verser le sel d'Epsom dans le lait tout juste retiré du feu et, à l'aide d'une cuillère de bois, brasser toujours dans le même sens en exécutant un mouvement de spirale vers le centre. Faire dix à quinze tours. Il est très important de laisser la cuillère au centre de la spirale et de ne la retirer qu'au moment de l'arrêt du mouvement du lait.

6e Laisser reposer ¼ d'heure.

7e À l'aide d'une tasse, verser le tofu dans un moule troué (utiliser n'importe quel contenant que l'on peut trouer, plastique ou autre) dans lequel on aura mis préalablement un coton à fromage ou autre tissu léger. Laisser l'eau s'égoutter. Plier le tissu vers le centre et couvrir le tout d'un rectangle de bois ou de plastique de même dimension que le contenant. Poser un poids lourd dessus (un cruchon rempli d'eau par exemple) pour essorer l'eau. Laisser reposer ainsi de 15 à 20 minutes.

8e Couper le tofu en gros cubes et le conserver dans un contenant d'eau froide. Réfrigérer et changer l'eau tous les deux jours. Le tofu se conserve ainsi de 10 à 14 jours.

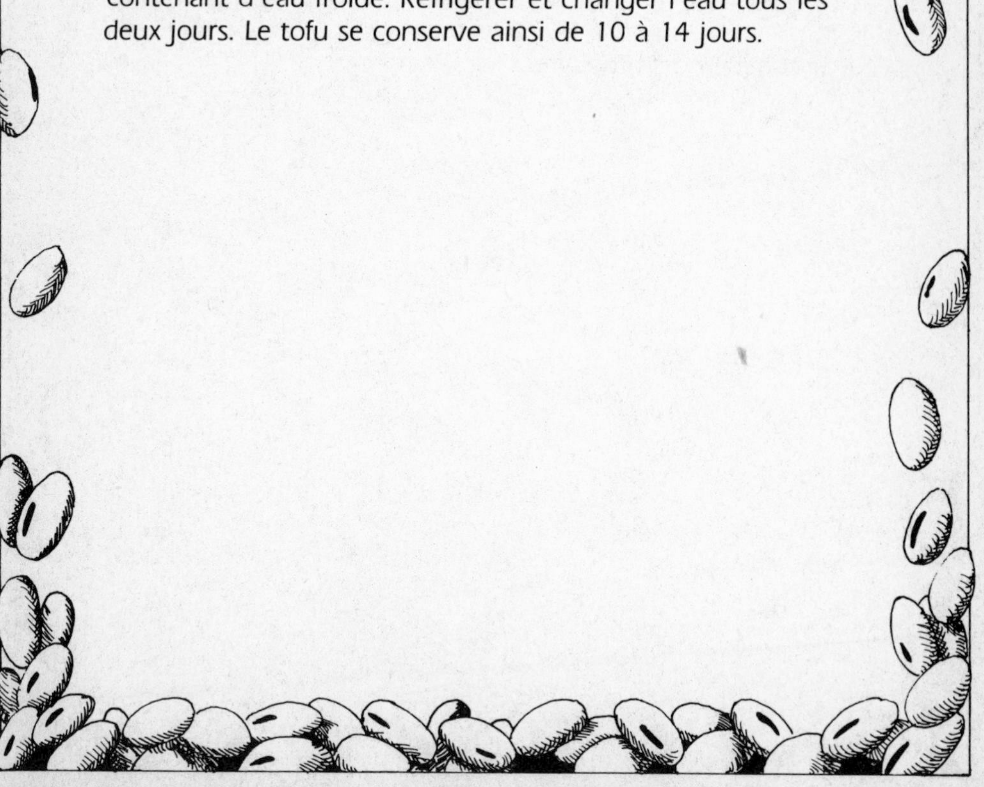

Concombre farci

- 12 rondelles environ

Ingrédients

1		**concombre sans pépins**
½ tasse	**(125 ml)**	**salade de tofu sans oeufs (voir page 37)**
		radis, olive, persil

Mode de préparation

1. Couper le concombre en rondelles de ⅓ de pouce (¾ cm).

2. Faire un nid avec une cuillère sans briser le fond.

3. Ajouter une c. à soupe (15 ml) de salade tofu et décorer à votre goût avec radis, olive ou persil.

Servir comme hors-d'oeuvre.

Tomates farcies

- 4 portions

Ingrédients

4		tomates
¼ tasse	(60 ml)	fromage cottage
6 onces	(180 g)	tofu brisé
1 c. à café	(5 ml)	origan
¼ c. à café	(1 ml)	basilic
2 c. à soupe	(30 ml)	fromage Parmesan râpé
2 c. à soupe	(30 ml)	huile d'olive
2 c. à soupe	(30 ml)	jus de citron
½ c. à café	(2 ml)	sel
		poivre au goût

Mode de préparation

1. Couper le dessus de la tomate et la vider avec une cuillère.

2. Mélanger tous les autres ingrédients dans un bol. Ajouter un peu de la pulpe des tomates.

3. Farcir les tomates et servir sur un lit de laitue.

Feuilles de vignes farcies au riz et tofu

- 2 douzaines de petits rouleaux

Ingrédients

2		**oignons finement coupés**
4		**gousses d'ail finement hachées**
1½ tasse	**(375 ml)**	**riz cuit**
4 onces	**(120 g)**	**tofu brisé**
		jus d'un demi-citron
¼ tasse	**(60 ml)**	**noix**
½ c. à café	**(2 ml)**	**sauge, thym**
		sel et poivre au goût
1 bocal de 19 onces	**(540 ml)**	**feuilles de vigne ***

Mode de préparation

1. Sauter les oignons et l'ail dans l'huile.

2. Ajouter le riz, le tofu, les épices, le jus de citron et les noix. Bien mélanger et réserver.

3. Essorer les feuilles de vigne en les pressant.

4. Prendre ensuite une feuille de vigne (couper la partie dure de la queue) la farcir d'une cuillerée à café (5 ml) comble du mélange et faire un petit rouleau de ¾ de pouce de diamètre (2 cm).

5. Déposer les rouleaux dans un plat et verser un peu d'huile d'olive. Servir comme hors-d'oeuvre.

* *Les feuilles de vignes sont disponibles dans les magasins d'importation ou au rayon des aliments d'importation dans les grands magasins de produits alimentaires.*

Tartines de tofu gratinées

- 2 douzaines de canapés

Ingrédients

12 onces	(360 g)	tofu
1		poireau
8 onces	(240 g)	fromage cheddar
1 c. à soupe	(15 ml)	huile
½ c. à café		basilic,
		pincée de poudre d'ail
1 c. à café	(5 ml)	poudre d'oignon
		sel et poivre au goût
2 c. à soupe	(30 ml)	fromage Parmesan râpé

Mode de préparation

1. Couper le tofu en petites tranches de ⅜ pouce (1 cm) sur 1½ pouce (4 cm) de longueur.

2. Déposer sur une tôle graissée.

3. Nettoyer le poireau et en faire des tranches très minces. Déposer ces tranches sur chaque morceau de tofu.

4. Saler, poivrer et saupoudrer de basilic, de poudre d'ail et de poudre d'oignon.

5. Mettre au four à 375°F de 15 à 20 minutes.

6. Couper le fromage cheddar en petites tranches de la même dimension que le tofu. Déposez-le sur le tofu. Gratiner 1 minute, et saupoudrer de Parmesan.

7. Laisser refroidir et décorer de laitue et d'olives.

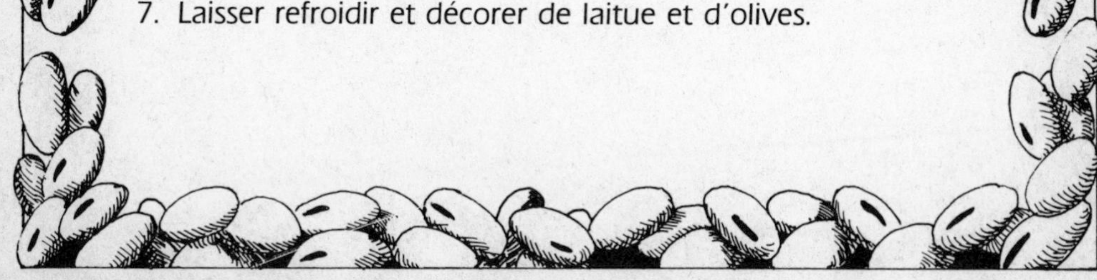

Les beurres pour sandwiches

BEURRE AUX FINES HERBES

Ingrédients

1 tasse	(250 ml)	beurre mou ou margarine
2 onces	(60 g)	tofu brisé
3 c. à soupe	(45 ml)	lait
1 c. à café	(5 ml)	herbes salées
¼ tasse	(60 ml)	persil haché finement
2		échalotes coupées finement

Mode de préparation

Mettre le beurre et le tofu dans le récipient du mélangeur ajouter les autres ingrédients et en faire un beurre lisse pour sandwiches.

BEURRE AU FROMAGE BLEU

Même recette que le beurre aux fines herbes, mais remplacer les herbes salées par ¼ tasse (60 ml) de fromage bleu.

BEURRE À L'AIL

Ajouter 2 gousses d'ail à la recette de beurre aux fines herbes.

Tartines aux olives et tofu

- 1½ tasse (375 ml)

Ingrédients

8 onces	**(240 g)**	**tofu brisé**
10		**olives dénoyautées vertes ou noires**
⅓ tasse	**(85 ml)**	**noix de Grenoble broyées**
1 tasse	**(250 ml)**	**fromage à la crème**
1		**gousse d'ail coupée finement**
3 c. à soupe	**(45 ml)**	**huile d'olive**
		jus d'un demi-citron
		sel, poivre au goût

Mode de préparation

Mélanger tous les ingrédients dans le récipient du mélangeur (à vitesse moyenne) jusqu'à l'obtention d'une consistance crémeuse.

Servir sur canapés, pain ou biscuits.

Tartinade de tofu du diable

• 2 portions

Ingrédients

8 onces	**(240 g)**	**tofu**
1		**carotte râpée**
1		**échalote coupée**
¼ c. à café	**(1 ml)**	**curcuma**
3 c. à soupe	**(45 ml)**	**mayonnaise au goût**
		sel et poivre au goût

Mode de préparation

1. Égoutter le tofu avec du papier essuie-tout et l'écraser.

2. Ajouter les carottes et les échalotes.

3. Ajouter le curcuma, la mayonnaise, le sel et le poivre, selon votre goût. Bien mélanger.

Excellent sur des biscuits, sur du pain de blé entier et sur un lit de laitue, avec des bâtonnets de carottes et des quartiers de tomates.

Tofu hommos

- 4 tasses (1 litre)

Ingrédients

¼ tasse	**(60 ml)**	**huile d'olive**
½ tasse	**(125 ml)**	**beurre de sésame (Tahini)**
2¼ tasses	**(540 ml)**	**pois chiches en conserve**
6 onces	**(180 g)**	**tofu brisé**
		jus de 2 citrons
½ c. à café	**(2 ml)**	**ail en poudre**
1 c. à café	**(5 ml)**	**oignon en poudre**
1 c. à café	**(5 ml)**	**sel**
		pincée de poivre
½ tasse	**(125 ml)**	**persil frais (garniture)**

Mode de préparation

1. Mélanger tous les ingrédients dans le récipient du mélangeur et réduire en purée. Faire l'opération en plusieurs fois selon la force de votre mélangeur. Ajouter un peu d'eau si nécessaire.

2. Parsemer de persil et servir avec des crudités ou du pain pita.

Sandwich rapide et complet

- 1 sandwich

Ingrédients

2		**tranches de pain**
⅓ tasse	**(85 ml)**	**salade de tofu sans oeuf (voir page 37)**
		tranches de tomates
		feuilles de laitue
		luzerne
1 once	**(30 g)**	**fromage**
1 c. à soupe	**(15 ml)**	**mayonnaise**
		sel et poivre au goût

Mode de préparation

1. Tartiner les deux tranches de pain avec le beurre de votre choix. (voir page 18).

2. Ajouter la salade de tofu sans oeuf, les tomates, la laitue, la luzerne, le fromate et/ou la mayonnaise. Assaisonner au goût.

Pain pita farci

- 8 demi-lunes

Ingrédients

4		**pains pita coupés en demi-lunes**
1		**carotte râpée**
1 tasse	**(250 ml)**	**luzerne germée**
1 tasse	**(250 ml)**	**laitue coupée finement**
1 tasse	**(250 ml)**	**fromage râpé**
2		**échalotes coupées**
1 tasse	**(250 ml)**	**salade au tofu sans oeufs (voir page 37)**

Mode de préparation

Mélanger tous les ingrédients et remplir le pain pita.

Vous pouvez ajouter une vinaigrette de votre goût.

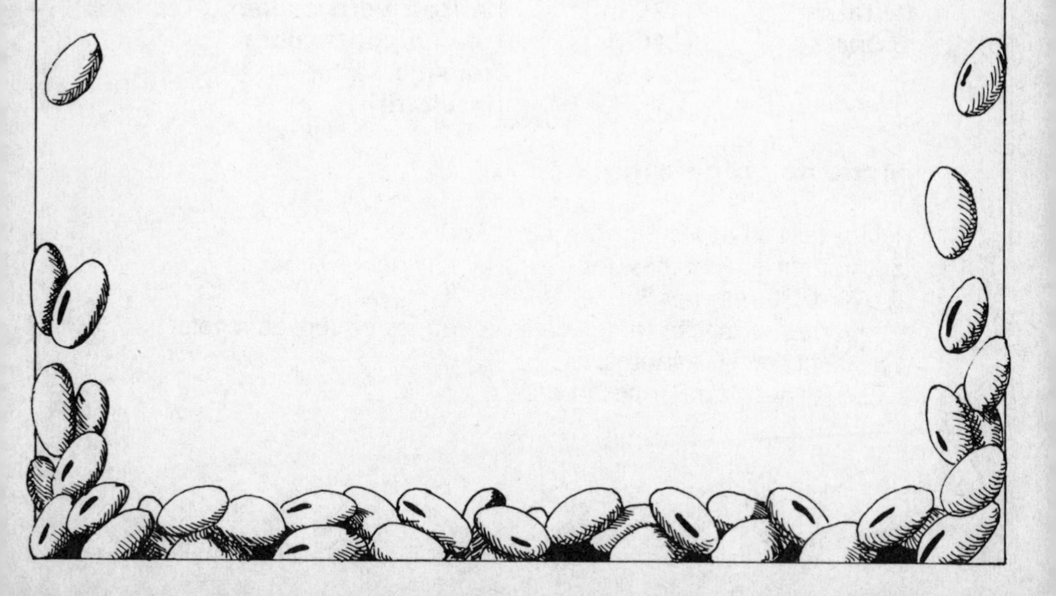

Soupe minestrone

- 8 à 10 portions

Ingrédients

2 gousses		ail
2		oignons coupés en dés
4 c. à soupe	(60 ml)	huile d'olive
1		courgette coupée en dés
1 tasse	(250 ml)	chou haché finement
1		carotte coupée en dés
2 branches		céleri coupées
3 tasses	(750 ml)	jus de tomates en conserve
¼ tasse	(60 ml)	persil haché finement
3 c. à soupe	(45 ml)	herbes salées
		poivre au goût
½ c. à café	(2 ml)	romarin
1 c. à café	(5 ml)	poudre d'ail
½ c. à café	(2 ml)	origan
½ c. à café	(2 ml)	thym
1 c. à soupe	(15 ml)	poudre d'oignon
8 tasses	(2 litres)	eau
½ tasse	(125 ml)	macaroni
½ tasse	(125 ml)	haricots rouges cuits
½ tasse	(125 ml)	haricots verts coupés
8 onces	(240 g)	tofu en petits cubes
		fromage Parmesan râpé (facultatif)

Mode de préparation

1. Sauter l'ail et les oignons dans l'huile d'olive.
2. Ajouter les légumes, les assaisonnements et l'eau.
3. Cuire 30 minutes.
4. Ajouter le macaroni, les haricots rouges et vert et le tofu. Cuire encore 15 minutes.
5. Servir avec du Parmesan râpé.

Soupe rapide aux légumes et tofu

- 6 - 8 portions

Ingrédients

2		oignons coupés
6 tasses	(1,5 litre)	eau
1		carotte coupée en dés
2		branches de céleri coupées en cubes
1 tasse	(250 ml)	chou coupé ou râpé
19 onces	(540 g)	tomates en conserve
8 onces	(240 g)	tofu en petits cubes
1 c. à soupe	(15 ml)	sel
		poivre au goût
3 c. à soupe	(45 ml)	huile d'olive
½ c. à café	(2 ml)	basilic,
½ c. à café	(2 ml)	thym
½ c. à café	(2 ml)	persil
1 cube		bouillon de légumes ou boeuf
		échalotes (facultatif)

Mode de préparation

1. Dans une casserole, sauter les oignons.
2. Ajouter tous les autres ingrédients.
3. Cuire 15 à 20 minutes à feu moyen.
4. Servir avec des échalotes coupées finement.

Saler au goût.

VARIANTES

- soupe aux oignons avec tofu
- soupe à l'orge
- soupe au riz
- soupe aux lentilles
- soupe au chou

Soupe à l'oignon au tofu

- 6 à 8 portions

Ingrédients

4		gros oignons tranchés minces
3 c. à soupe	(45 ml)	huile de tournesol
2		branches de céleri coupées en petites tranches minces
12 onces	(360 g)	tofu coupé en dés
1 c. à soupe	(15 ml)	moutarde sèche
1 c. à soupe	(15 ml)	poudre d'oignon
2 c. à soupe	(30 ml)	concentré de bouillon de légumes
2 c. à soupe	(15 ml)	graines de céleri (facultatif)
1 c. à café	(5 ml)	paprika (facultatif)
½ c. à café	(2 ml)	poivre (facultatif)
2 pintes	(2 litres)	eau

Mode de préparation

1. Sauter les oignons dans l'huile de tournesol jusqu'à transparence

2. Ajouter tous les ingrédients et cuire à feu moyen pendant 20 minutes.

3. Saler au goût.

4. Servir avec fromage Parmesan râpé.

Soupe aux gourganes du lac Saint-Jean

• 6 à 8 portions

Ingrédients

2 à 3 pintes	(2 à 3 litres)	eau ou bouillon de légumes
2 tasses	(500 ml)	gourganes
1 tasse	(250 ml)	céleri coupé
2		oignons coupés
1		carotte coupée en cubes
½ tasse	(125 ml)	chou coupé
¼ tasse	(60 ml)	persil haché
3 c. à soupe	(45 ml)	herbes salées
6 onces	(180 g)	tofu coupé en petits cubes
		pincée de basilic et de thym
		sel d'ail, poivre au goût
1 c. à soupe	(15 ml)	poudre d'oignon
1 c. à soupe	(15 ml)	huile maïs ou tournesol

Mode de préparation

1. Cuire les gourganes une heure dans l'eau, puis ajouter tous les autres ingrédients. Cuire une demi-heure de plus à feu moyen.

2. Ajouter un petit morceau de beurre à la fin de la cuisson.

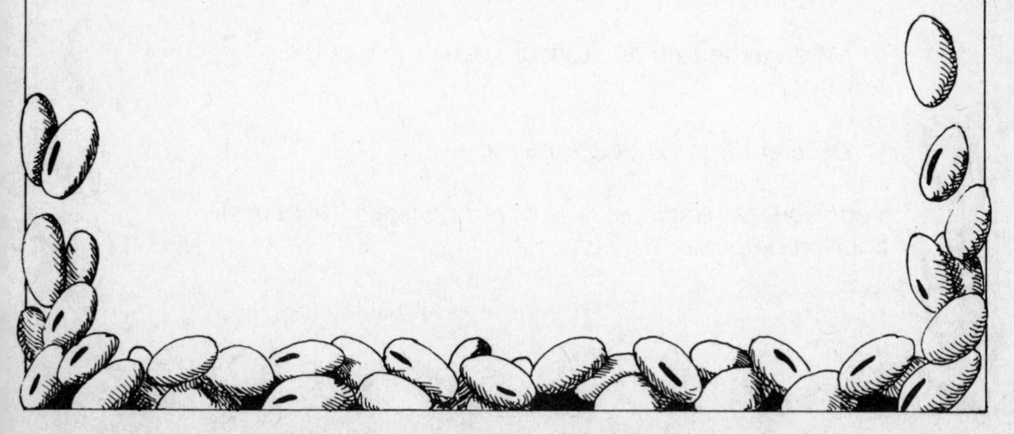

Soupe aux tomates et tofu

- 4 portions

Ingrédients

1 c. à soupe	(15 ml)	huile
1		oignon coupé en petits morceaux
1 gousse		ail émincée
2¼ tasses	(560 ml)	tomates en conserve
12 onces	(360 g)	tofu
1 tasse	(250 ml)	lait
1½ c. à café	(7 ml)	sel
		pincée de poivre ou quelques gouttes de sauce Tabasco
¼ c. à café	(1 ml)	origan, marjolaine, basilic
1		échalote
		persil

Mode de préparation

1. Dans un chaudron, sauter les oignons et l'ail.

2. Ajouter les tomates et cuire 3 minutes.

3. Mettre dans le récipient du mélangeur (à vitesse moyenne) le tofu et le lait, jusqu'à l'obtention d'une consistance crémeuse.

4. Mélanger le tofu aux tomates. Cuire 2 minutes. Assaisonner.

5. Décorer de persil et d'échalote.

Vous pouvez remplacer le lait par une égale quantité de bouillon de poulet ou de bœuf.

Tomates à la provencale au tofu

- 4 portions

Ingrédients

4		**tomates tranchées**
1		**échalote coupée finement**
¼ tasse	**(60 ml)**	**persil coupé finement**
8 onces	**(240 g)**	**tofu coupé en tranches minces**

VINAIGRETTE

		jus d'un citron
½ tasse	**(125 ml)**	**huile d'olive**
		basilic frais ou sec
		sel et poivre au goût
1 c. à café	**(5 ml)**	**herbes salées**
6 onces	**(180 g)**	**fromage Parmesan**

Mode de préparation

1. Placer dans un plat, en alternant, les tranches de tomates et les tranches de tofu.

2. Mettre l'échalote et le persil dessus.

3. Verser la vinaigrette sur la préparation.

4. Saupoudrer de fromage Parmesan et servir.

Salade verte avec tofu

- 6 portions

Ingrédients

½		**pomme de laitue**
½		**paquet d'épinards**
1		**concombre coupé en cubes**
½ tasse	**(125 ml)**	**persil**
3 - 4		**échalotes**
8 onces	**(240 g)**	**tofu coupé en très petits cubes**

Mode de préparation

1. Mélanger tous les ingrédients et assaisonner au goût.

2. Servir avec votre vinaigrette préférée.

Salade de maïs au tofu

- 5 à 6 portions

Ingrédients

6		épis de maïs cuits et râpés
4		échalotes coupées
¼ tasse	(60 ml)	persil coupé finement
1		carotte coupée en petits cubes
1		piment rouge ou vert coupé
6 onces	(180 g)	tofu coupé en dés

Mode de préparation

Mélanger tous les ingrédients. Ajouter la vinaigrette.

VINAIGRETTE

Ingrédients

1 tasse	(250 ml)	huile de tournesol ou d'olive
		jus de 2 citrons
		sel, poivre au goût
1 c. à café	(5 ml)	poudre d'oignon
1 c. à café	(5 ml)	herbes salées
1		pincée de sauge

Mode de préparation

Mélanger tous les ingrédients.

Salade de chou au tofu

- 4 portions

Ingrédients

½		chou râpé ou coupé finement
2		carottes râpées
2		échalotes coupées
1		poignée de persil coupé
6 onces	(180 g)	tofu coupé en petits cubes
1 tasse	(250 ml)	crème sure
3 c. à soupe	(45 ml)	vinaigre de cidre de pomme
1 c. à soupe	(15 ml)	sucre
1 c. à café	(5 ml)	sel
¼ c. à café	(1 ml)	poivre

Mode de préparation

1. Mélanger tous les ingrédients et assaisonner au goût.

2. Réfrigérer une heure avant de servir.

Salade de riz et tofu

- 4 portions

Ingrédients

2 tasses	(500 ml)	riz cuit
½ tasse	(125 ml)	pois chiches en boîte
2		piments verts coupés
4		échalotes coupées finement
¼ tasse	(60 ml)	persil
1		carotte coupée en cubes
6 onces	(180 g)	tofu en petits cubes

Mode de préparation

Mélanger tous les ingrédients de la salade et ajouter la vinaigrette.

Assaisonner à votre goût.

VINAIGRETTE

Ingrédients

1½ tasse	(375 ml)	huile de tournesol ou de maïs
		jus de 2 citrons
		sel et poivre au goût,
		pincée de basilic
1 c. à thé	(5 ml)	sirop d'érable
½ c. à thé	(2 ml)	paprika
2 c. à soupe	(30 ml)	persil haché finement

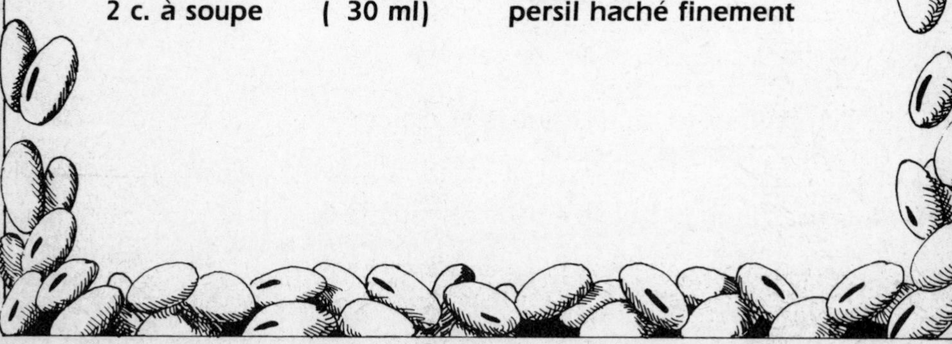

Salade d'avocats

- 5 à 6 portions

VINAIGRETTE

Ingrédients

½ tasse	**(125 ml)**	**huile de maïs ou tournesol**
2 c. à thé	**(10 ml)**	**sel ou herbes salées**
		jus de 2 citrons
1		**petit oignon coupé finement**
		pincée de poivre
		poudre d'ail

SALADE D'AVOCATS

Ingrédients:

2		**avocats coupés**
1		**concombre coupé**
2		**branches de céleri coupées**
2		**tomates coupées**
8 onces	**(240 g)**	**tofu coupé en dés**
2-3		**échalotes coupées**
		persil frais coupé

Mode de préparation

1. Mettre tous les ingrédients de la vinaigrette dans le récipient du mélangeur et battre à vitesse moyenne.

2. Mettre les légumes dans un saladier.

3. Arroser tous les légumes de la vinaigrette. Saler et assaisonner au goût.

4. Servir sur un lit de laitue avec olives et radis.

Salade de macaroni et tofu

- 4 portions

Ingrédients

3 tasses	**(750 ml)**	**macaroni cuit**
½ tasse	**(125 ml)**	**céleri en cubes**
½ tasse	**(125 ml)**	**carottes en cubes**
4		**échalotes coupées finement**
1		**piment vert ou rouge coupé en cubes**
6 à 8 onces	**(180-240 g)**	**tofu coupé en cubes**
¾ tasse	**(185 ml)**	**mayonnaise**
		sel, poivre

Mode de préparation

1. Mélanger tous les ingrédients.

2. Saler et poivrer au goût.

Salade aux pommes de terre et tofu

- 4 portions

Ingrédients

8 onces	(240 g)	tofu, coupé en petits cubes
4 tasses	(1 litre)	pommes de terre cuites coupées en cubes
1		concombre tranché finement
½ tasse	(125 ml)	céleri coupé en petits morceaux
1		carotte coupée en petits cubes
3		échalotes coupées.

VINAIGRETTE

½ tasse	(125 ml)	mayonnaise ou mayonnaise minceur *
		sel et poivre au goût

Mode de préparation

1. Mélanger tous les ingrédients.

2. Ajouter la mayonnaise et servir sur un lit de laitue.

3. Garnir de radis et d'olives.

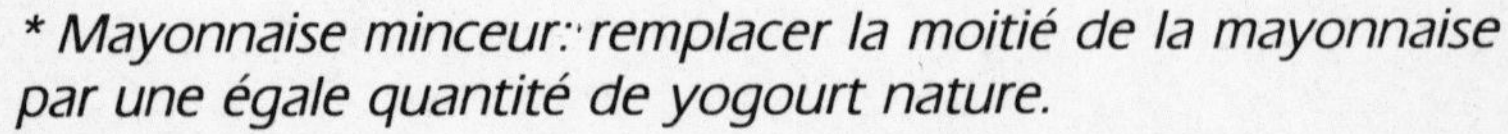

** Mayonnaise minceur: remplacer la moitié de la mayonnaise par une égale quantité de yogourt nature.*

Salade au tofu

(substitut d'une salade aux oeufs)

- 4 portions

Ingrédients

24 onces	**(720 g)**	**tofu**
4		**échalotes**
1 tasse	**(250 ml)**	**céleri coupé en petits cubes**
1		**carotte coupée en petits cubes**
¼ tasse	**(60 ml)**	**persil coupé finement**
1 c. à soupe	**(15 ml)**	**moutarde**
1 c. à soupe	**(15 ml)**	**huile d'olive ou de tournesol**
1 c. à café	**(5 ml)**	**turméric ou curcama**
1 pincée		**thym, basilic, cerfeuil**
1 c. à café	**(5 ml)**	**sel**
		poivre au goût
1 c. à soupe	**(15 ml)**	**poudre d'oignon**
1 pincée		**poudre d'ail**
1 c. à soupe	**(15 ml)**	**herbes salées**

Mode de préparation

1. Mélanger tous les ingrédients à la fourchette.

2. Servir sur un lit de laitue ou tartiner un sandwich avec tomate, laitue, fromage, etc...

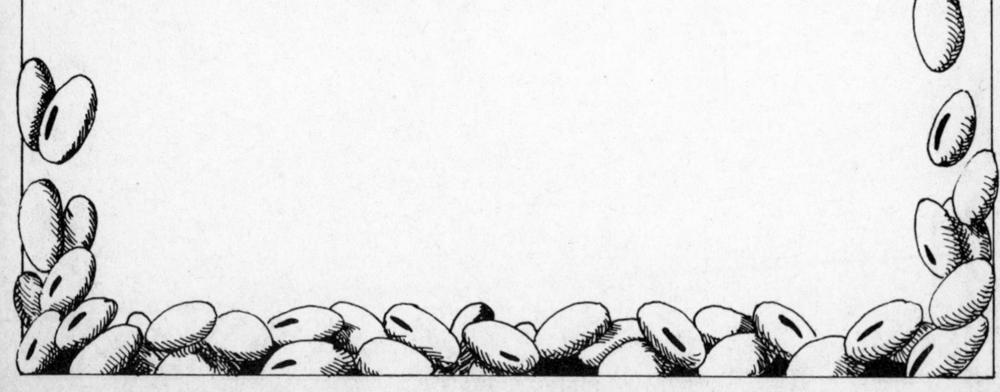

Salade aux légumes et tofu

- 4 portions

Ingrédients

1		**concombre en cubes**
½		**chou-fleur séparé en bouquets**
1		**piment**
1		**carotte coupée**
2		**tomates coupées**
8 onces	**(240 g)**	**tofu coupé en cubes**
3		**échalotes coupées**
		persil frais

Mode de préparation

1. Mélanger tous les ingrédients.

2. Servir avec une vinaigrette de votre choix.

Salade de tofu

- 4 portions

Ingrédients

12 onces	(360 g)	tofu
1		échalote finement coupée
½		branche de céleri coupée
¼		piment vert coupé
1 c. à café	(5 ml)	sel
1 c. à café	(5 ml)	poudre d'oignon
1 c. à café	(5 ml)	poudre d'ail
1 pincée		Cayenne
¼ tasse	(60 ml)	mayonnaise (facultatif)

Mode de préparation

1. Assécher le tofu avec un essuie-tout.
2. Écraser le tofu à l'aide d'une fourchette.
3. Ajouter les légumes et les assaisonnements.
4. Enrober de mayonnaise au goût.

Trempette au tofu pour crudités

- 2 tasses (500 ml)

Ingrédients

8 onces	**(240 g)**	**tofu**
1		**oignon moyen coupé**
1½ c. à soupe	**(20 ml)**	**vinaigre de cidre**
1 c. à café	**(5 ml)**	**sel**
½ c. à café	**(2 ml)**	**ail en poudre**
2 c. à soupe	**(30 ml)**	**persil frais**
½ tasse	**(125 ml)**	**mayonnaise ou mayonnaise minceur ***

Mode de préparation

Mettre tous les ingrédients dans le récipient du mélangeur et battre (à vitesse moyenne) jusqu'à l'obtention d'une consistance crémeuse.

*** Mayonnaise minceur:**

remplacer la moitié de la mayonnaise par une égale quantité de yogourt nature.

Trempette à l'oignon

- 2 à 3 tasses (500 à 750 ml)

Ingrédients

1½ livre	**(720 g)**	**tofu**
½ tasse	**(125 ml)**	**huile**
1 c. à soupe	**(15 ml)**	**vinaigre de cidre**
2 c. à soupe	**(30 ml)**	**jus de citron**
1 sachet		**soupe à l'oignon**
1 tasse	**(125 ml)**	**crème sûre**

Mode de préparation

1. Mettre tous les ingrédients dans le récipient du mélangeur, à l'exception du tofu, et réduire au purée, à vitesse moyenne.

2. Ajouter le tofu, morceau par morceau. Broyer.

3. Mettre dans un bol et refroidir. Saler au goût.

4. Servir avec des crudités.

Vinaigrette de tofu et de fromage à la crème

• 2 tasses (500 ml)

Ingrédients

½ tasse	**(120 ml)**	**lait ou yogourt**
4 onces	**(120 g)**	**tofu**
4 onces	**(120 g)**	**fromage à la crème**
¼ tasse	**(60 ml)**	**jus de citron**
1 c. à café	**(5 ml)**	**sel (ou au goût)**
¼ tasse	**(60 ml)**	**d'oignon coupé**
		pincée de poivre
		pincée de poudre d'ail

Mode de préparation

Mettre tous les ingrédients dans le récipient du mélangeur et réduire au purée (à vitesse moyenne) jusqu'à l'obtention d'une consistance crémeuse.

Vinaigrette de tofu crémeuse au cari

- 1 ½ tasse (375 ml)

Ingrédients

6 onces	(180 g)	tofu bien égoutté
3 c. à soupe	(45 ml)	yogourt
2 c. à soupe	(30 ml)	jus de citron
2 c. à soupe	(30 ml)	huile à salade
¼ c. à café	(2 ml)	sel
2 c. à soupe	(30 ml)	oignon finement coupé
1 c. à café	(5 ml)	poudre de cari

Mode de préparation

Mettre les ingrédients dans le récipient d'un mélangeur et réduire en purée.

La vinaigrette demeure fraîche pendant trois jours si elle est gardée au réfrigérateur.

Vinaigrette d'oignon et de tofu

- 1½ tasse (375 ml)

Ingrédients

12 onces	**(360 g)**	**tofu**
¼ tasse	**(60 ml)**	**huile de tournesol**
¼ tasse	**(60 ml)**	**jus de citron**
1 c. à café	**(5 ml)**	**sel**
½ c. à soupe	**(7 ml)**	**miel ou sirop d'érable**
1 c. à soupe	**(15 ml)**	**oignon en poudre**
¼ tasse	**(60 ml)**	**eau**
		pincée de moutarde sèche
		pincée de graines de céleri
2 ou 3		**échalotes coupées finement**

Mode de préparation

1. Rincer le tofu, le briser et le mettre au mélangeur.

2. Ajouter tous les autres ingrédients à l'exception des échalotes et des graines de céleri.

3. Mélanger à vitesse moyenne jusqu'à l'obtention d'une consistance crémeuse.

4. Mettre la vinaigrette dans un bocal et ajouter les échalotes et les graines de céleri. Refroidir. Cette vinaigrette peut être servie sur votre salade favorite.

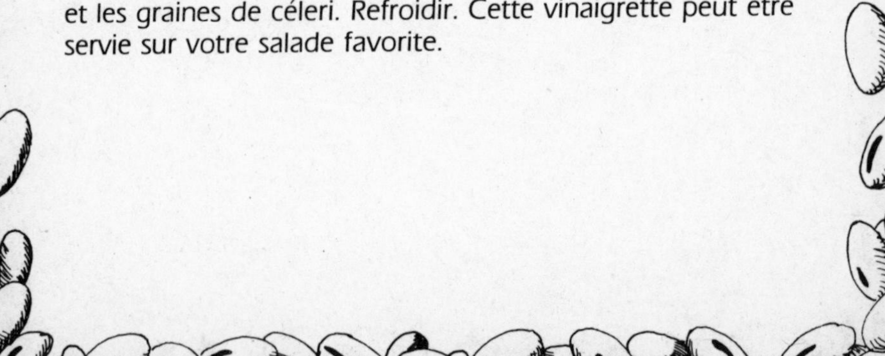

Vinaigrette à l'ail au tofu

- 1 ½ tasse (375 ml)

Ingrédients

3 gousses		**d'ail**
1 tasse	**(250 ml)**	**tofu**
¼ tasse	**(60 ml)**	**huile d'olive**
¼ tasse	**(60 ml)**	**vinaigre**
½ c. à thé	**(2 ml)**	**sel**
		poivre au goût
1		**échalote**

Mode de préparation

1. Mettre tous les ingrédients dans le récipient du mélangeur (à vitesse moyenne) jusqu'à l'obtention d'une consistance crémeuse et lisse.

2. Éclaircir avec un peu d'eau si nécessaire.

3. Refroidir et servir comme sauce pour le poisson, les légumes ou comme trempette.

Vinaigrette de tofu et de crème sure

• 1½ tasse (375 ml)

Ingrédients

1 tasse	**(250 ml)**	**crème sure**
6 onces	**(180 g)**	**tofu**
2		**échalotes**
2 c. à soupe	**(30 ml)**	**jus de citron**
		persil
		sel, poivre au goût

Mode de préparation

1. Mettre tous les ingrédients dans le récipient du mélangeur (à vitesse moyenne) jusqu'à l'obtention d'une consistance crémeuse.

2. Servir sur une salade verte ou mélanger à une salade de pommes de terre.

Vinaigrette crémeuse au tofu (ou trempette)

- 2½ tasses (625 ml)

Ingrédients

12 à 16 onces	**(360 à 500 g)**	**tofu**
2 c. à soupe	**(30 ml)**	**jus de citron**
3 à 4 c. à soupe	**(45 - 60 ml)**	**huile**
1 c. à café	**(5 ml)**	**sel**
2		**gousses d'ail écrasées**
½ c. à café	**(2 ml)**	**graines d'aneth (facultatif)**
2 c. à soupe	**(30 ml)**	**persil haché**
1 c. à soupe	**(15 ml)**	**poudre d'oignon**

Mode de préparation

1. Mettre tous les ingrédients, à l'exception du persil, dans le récipient du mélangeur, réduire en purée, (à vitesse moyenne) jusqu'à ce que le mélange soit homogène.

2. Garnir d'un peu de persil. Servir très froid.

Cette vinaigrette est délicieuse servie sur de la salade ou comme trempette, avec des tranches de légumes crus ou des croustilles; pour napper différents légumes cuits, et même comme tartinade à sandwiches.

Vous pouvez remplacer l'ail et l'aneth pour ½ c. à café (2 ml) de poudre de curry et 2 à 3 c. à café (10 - 15 ml) d'oignon émincé.

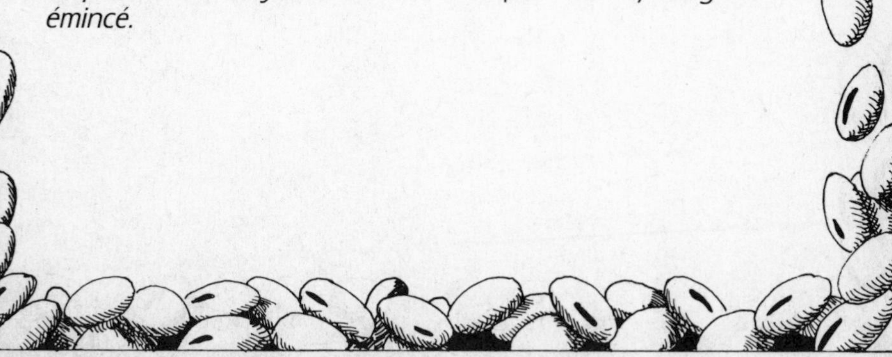

Tofu burgers

- 8 croquettes

Ingrédients

16 onces	(480 g)	tofu
1		carotte râpée finement
4		échalotes coupées finement
3 c. à soupe	(45 ml)	noix de Grenoble moulues
2 c. à soupe	(30 ml)	graines de tournesol
1½ c. à café	(7 ml)	sel
		poivre au goût
3 tasses	(750 ml)	huile pour cuisson

Mode de préparation

1. Mélanger les 7 premiers ingrédients.

2. Façonner en croquettes et badigeonner d'huile.

3. Chauffer l'huile et y déposer les croquettes pendant 4 à 5 minutes. Dorer chaque côté.

4. Servir dans un pain hamburger avec la garniture de votre choix.

Tofu rôti en tranches

- 10 tranches

Ingrédients

½ tasse	(125 ml)	semoule de maïs
2 tasses	(500 ml)	farine
4 c. à soupe	(60 ml)	germe de blé
¼ à café	(1 ml)	ail en poudre
¼. c. à café	(1 ml)	poudre de cari
¼ c. à café	(1 ml)	moutarde sèche
¼. c. à café	(1 ml)	thym
½ c. à café	(2 ml)	sel
		pincée de poivre
2 c. à soupe	(30 ml)	concentré de bouillon de légumes ou de poulet
16 onces	(480 g)	tofu
¼ tasse	(60 ml)	huile
2 tasses	(500 ml)	lait

Mode de préparation

1. Mélanger les dix premiers ingrédients.

2. Couper le tofu en tranches de ¼ pouce (,6 cm) d'épaisseur.

3. Tremper les morceaux de tofu dans le lait et les enrober du mélange de semoule de maïs, farine et épices.

4. Frire le tofu dans l'huile des deux côtés jusqu'à ce qu'il devienne brun.

5. Servir avec une sauce de votre choix ou mettre une tranche dans un pain hamburger pour remplacer le steak haché.

Croquettes de tournesol et tofu

- 8 croquettes

Ingrédients

1 tasse	**(250 ml)**	**riz cuit**
2		**carottes finement râpées**
1 tasse	**(250 ml)**	**graines de tournesol finement broyées ***
1		**échalote coupée finement**
½ c. à café	**(2 ml)**	**poudre d'oignon**
2 c. à soupe	**(30 ml)**	**herbes salées**
¼ c. à café	**(1 ml)**	**basilic**
6 onces	**(180 g)**	**tofu**
		pincée de poivre
		poudre d'ail

Mode de préparation

1. Mélanger tous les ingrédients, façonner en croquettes.

2. Les rouler dans une chapelure de votre choix.

3. Frire ou mettre au four. Les croquettes peuvent être servies avec une sauce aux tomates.

** Les graines de tournesol peuvent se broyer dans le mélangeur électrique ou le moulin à café.*

Croquettes de riz et pois chiches

- 8 à 12 croquettes

Ingrédients

1 tasse	**(250 ml)**	**riz cuit**
½ tasse	**(125 ml)**	**graines de tournesol moulues au mélangeur**
1 tasse	**(250 ml)**	**pois chiches en purée**
8 onces	**(240 g)**	**tofu brisé**
½ tasse	**(125 ml)**	**fromage râpé**
2 c. à soupe	**(30 ml)**	**herbes salées**
1 c. à soupe	**(15 ml)**	**poudre d'oignon**
		sel et poivre au goût
		pincée de basilic
		pincée de sauge

Mode de préparation

1. Mélanger tous les ingrédients et façonner en croquettes.

2. Frire dans l'huile.

3. Servir avec une sauce de votre choix ou dans un pain hamburger.

Burger au riz et au tofu

• 8 à 12 croquettes

Ingrédients

1		**oignon coupé**
1 c. à soupe	**(15 ml)**	**huile de tournesol ou de maïs**
1½ tasse	**(375 ml)**	**riz cuit**
8 onces	**(240 g)**	**tofu écrasé**
½ tasse	**(125 ml)**	**carottes râpées**
½ c. à café	**(2 ml)**	**sel**
1 c. à café	**(5 ml)**	**graines de céleri**
½ c. à café	**(2 ml)**	**basilic**

Mode de préparation

1. Sauter l'oignon dans un peu d'huile, saler.

2. Ajouter le reste des ingrédients. Cuire pendant 2 minutes. Façonner en croquettes de 2 à 3 pouces (5 à 8 cm) de diamètre.

3. Frire dans l'huile pendant 4 à 5 minutes où jusqu'à ce que les croquettes soient d'un brun doré.

4. Servir dans un pain hamburger avec laitue, tomate, fromage, moutarde, etc...

Tofu en frites

Ingrédients

1 livre	**(480 g)**	**tofu**
		sel au goût
4 tasses	**(1 litre)**	**huile**

Mode de préparation

1. Bien égoutter le tofu. Le couper en bâtonnets fins, comme pour des pommes de terre frites.

2. Frire les bâtonnets dans l'huile jusqu'à ce qu'ils soient assez dorés.

3. Saler et servir, avec du ketchup, au goût.

Tofu au Parmesan

- 4 portions

Ingrédients

20 onces	**(600 g)**	**tofu**
1 tasse	**(250 ml)**	**farine tout usage**
1 tasse	**(250 ml)**	**sauce tamari ***
3 à 4 c. à soupe	**(45-60 ml)**	**huile de tournesol ou de maïs**
3 tasses	**(750 ml)**	**sauce à spaghetti aux tomates**
1 tasse	**(250 ml)**	**fromage Parmesan**
		pincée de thym,
		pincée de origan,
		pincée de poudre d'ail,
		sel et poivre au goût

Mode de préparation

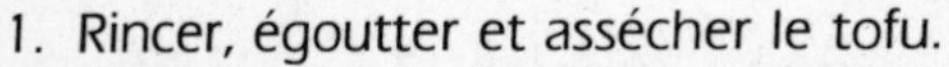

1. Rincer, égoutter et assécher le tofu.
2. Couper en tranche de ⅜ de pouce (1 cm).
3. Faire tremper dans la sauce tamari 30 secondes de chaque côté.
4. Mélanger les herbes et les épices à la farine. Enrober le tofu de ce mélange.
5. Frire le tofu dans l'huile de tournesol ou de maïs jusqu'à ce qu'il soit brun doré.
6. Déposer le tofu dans un plat à gratin huilé, recouvrir de sauce à spaghetti et de fromage Parmesan. Cuire (à couvert) à 350°F (180°C) pendant 30 minutes.
7. Servir sur un filet de poisson.

** La sauce soya tamari se vend dans les magasins d'aliments naturels et chinois.*

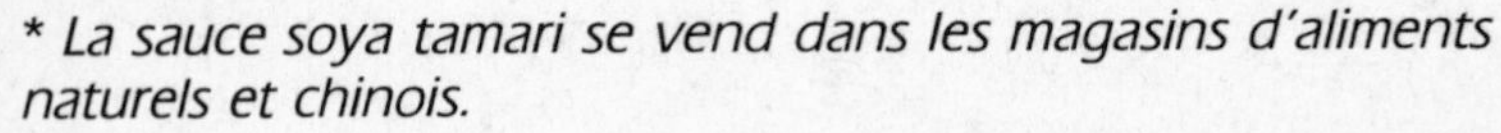

Casserole de pommes de terre gratinées

- 4 à 6 portions

Ingrédients

1 gousse		d'ail
8 à 10		pommes de terre pelées et tranchées minces
4		oignons tranchés
2 c. à café	(10 ml)	sel
½ c. à café	(2 ml)	poivre
1 tasse	(250 ml)	fromage Parmesan râpé
16 onces	(480 g)	tofu en tranches
4 tasses	(1 litre)	lait
1 c. à soupe	(15 ml)	poudre d'ail (facultatif)
		fromage cheddar râpé

Mode de préparation

1. Frotter le fond d'un plat à gratin avec une gousse d'ail.

2. Dans un bol, mélanger les pommes de terre, les oignons, le sel, le poivre, le fromage Parmesan et le tofu.

3. Mettre dans le plat à gratin et ajouter le lait. Couvrir et cuire au four à 375°F (190°C) pendant 30 minutes.

4. Ajouter le fromage cheddar râpé et cuire de nouveau pendant 15 minutes, à découvert.

Pommes de terre au tofu

- 4 portions

Ingrédients

4 à 6		**pommes de terre moyennes**
8 onces	**(240 g)**	**tofu brisé**
½ tasse	**(120 ml)**	**beurre**
4		**échalotes coupées finement**
¼ tasse	**(60 ml)**	**persil coupé finement**
1½ tasse	**(375 ml)**	**lait**
		sel et poivre au goût

Mode de préparation

1. Cuire les pommes de terre à l'eau bouillante salée.

2. Ajouter tous les ingrédients aux pommes de terre et réduire en purée à l'aide d'un pilon.

3. Verser dans un plat allant au four. Cuire pendant 10 à 15 minutes à 350°F (180°C).

4. Servir comme accompagnement d'une viande ou d'un poisson.

Chou-fleur au gratin avec tofu

- 4 portions

Ingrédients

2		choux-fleurs
2		oignons coupés en tranches
3 c. à soupe	(45 ml)	beurre
3 c. à soupe	(45 ml)	farine ou fécule de maïs
2 tasses	(500 ml)	lait
8 onces	(240 g)	fromage cheddar râpé
6 onces	(180 g)	tofu coupé en cubes
8 à 10		champignons coupés
1 c. à soupe	(15 ml)	herbes salées
		sel au goût
		poivre, ail, paprika

Mode de préparation

1. Séparer les choux-fleurs en bouquets et les faire cuire à la vapeur.

2. Faire une béchamel avec le beurre, la farine et le lait. Ajouter le fromage râpé.

3. Sauter les oignons et les champignons dans le beurre. Saler, poivrer. Ajouter les herbes salées et l'ail.

4. Ajouter les oignons et les champignons à la béchamel.

5. Ajouter le tofu et laisser mijoter 5 minutes.

6. Placer le chou-fleur dans une casserole et recouvrir de la béchamel. Saupoudrer de paprika.

7. Cuire au four à 350°F (180°C) pendant 30 à 35 minutes.

Casserole de courgettes et chou-fleur gratinés

• 4 portions

Ingrédients

2		**courgettes moyennes coupées en tranches diagonales**
1		**chou-fleur en bouquets**
2		**oignons coupés en morceaux moyens**
8 onces	**(240 g)**	**tofu coupé en cubes**
3 c. à soupe	**(45 ml)**	**huile d'olive**
		jus d'un demi-citron
½ c. à café	**(2 ml)**	**sel**
		pincée de poivre
		pincée de basilic
		pincée de thym
4 onces	**(120 g)**	**fromage gruyère râpé**

Mode de préparation

1. Mélanger tous les ingrédients (sauf le fromage) dans un plat à gratin.

2. Couvrir et cuire au four à 375°F (190°C) pendant 20 à 25 minutes.

3. Ajouter le fromage râpé et cuire de 5 à 10 minutes, à découvert.

Casserole de haricots au tofu et au piment

- 4 portions

Ingrédients

2		**oignons tranchés**
3 gousses		**ail**
1		**piment vert coupé**
2 branches		**céleri coupées**
3 c. à soupe	**(45 ml)**	**huile**
2 tasses	**(500 ml)**	**tomates en conserve**
½ c. à café	**(2 ml)**	**cumin en poudre**
2 boîtes de 19 onces	**(540 ml)**	**haricots rouges, cuits et égouttés**
8 onces	**(240 g)**	**tofu en cubes**

Mode de préparation

1. Sauter les oignons, l'ail et les légumes dans l'huile.

2. Ajouter les tomates et les épices. Laisser mijoter pendant 20 minutes.

3. Ajouter les haricots rouges et le tofu. Cuire pendant 10 à 15 minutes à feu doux.

4. Servir sur riz et accompagner d'une salade verte.

Ratatouille au tofu

- 6 à 8 portions

Ingrédients

2 c. à soupe	**(30 ml)**	**huile d'olive**
3 gousses		**ail émincées**
2		**oignons coupés grossièrement**
2½ tasses	**(560 ml)**	**tomates en conserve**
1		**piment vert coupé**
2		**courgettes, coupées en tranches**
1		**aubergine, coupée en dés**
½		**chou-fleur coupé en bouquet**
8		**champignons tranchés**
1		**carotte coupée**
12 onces	**(360 g)**	**tofu coupé en cubes**
1 c. à café	**(5 ml)**	**persil**
1 c. à soupe	**(15 ml)**	**herbes salées**
1 c. à café	**(15 ml)**	**basilic**
½ c. à café	**(2 ml)**	**sauge**
½ c. à café	**(2 ml)**	**thym**
		sel, poivre au goût

Mode de préparation

1. Sauter l'ail et les oignons.

2. Dans un grand chaudron mettre tous les légumes, les herbes et les assaisonnements. Cuire à feu moyen pendant 35 à 40 minutes.

3. Ajouter le tofu 15 minutes avant la fin de la cuisson.

Ragoût aux légumes et au tofu

- 4 portions

Ingrédients

12 onces	(360 g)	tofu coupé en cubes
2		oignons coupés
½		chou-fleur coupé
1		piment coupé
2		carottes coupées
1		navet coupé
2		pommes de terre coupées en dés
2 cubes		bouillon de légumes ou de boeuf
2 - 3		feuilles de laurier
2 c. à soupe	(30 ml)	herbes salées
1 c. à soupe	(15 ml)	poudre d'oignon
2 c. à soupe	(30 ml)	huile de tournesol ou de maïs
		sel, poivre au goût
		pincée de thym, sauge, poudre d'ail
2¼ tasses	(540 ml)	jus de tomate
1 tasse	(250 ml)	eau

Mode de préparation

1. Mettre tous les ingrédients dans une casserole. Laisser mijoter pendant 30 à 40 minutes.

2. Servir accompagné de riz et d'une salade verte.

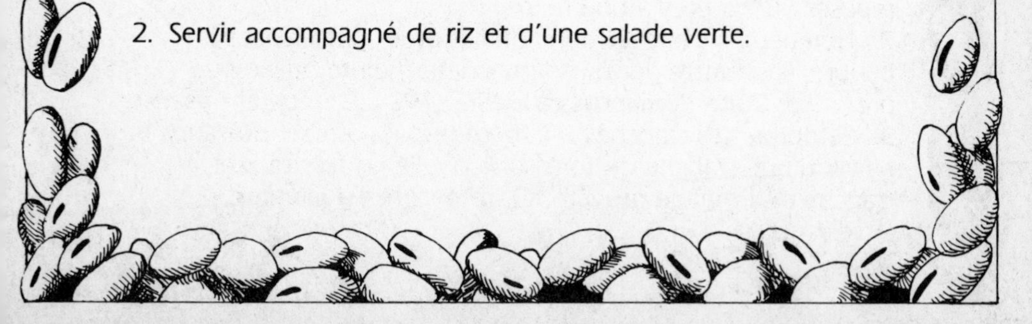

Aubergine gratinée

- 8 à 12 portions

Ingrédients

2		**aubergines moyennes tranchées**
PANURE		
2 tasses	**(500 ml)**	**farine**
½ tasse	**(125 ml)**	**semoule de maïs**
2 c. à soupe	**(30 ml)**	**poudre d'oignon**
½ c. à café	**(2 ml)**	**poudre d'ail**
1 c. à café	**(5 ml)**	**persil séché**
1 c. à café	**(5 ml)**	**basilic**
1 c. à café	**(5 ml)**	**sel**
SAUCE		
2¼ tasses	**(560 ml)**	**sauce aux tomates**
2¼ tasses	**(560 ml)**	**tomates en conserve**
1 tasse	**(250 ml)**	**jus de tomate**
2		**oignons tranchés et sautés**
3 c. à soupe	**(45 ml)**	**huile olive**
½ c. à café	**(2 ml)**	**basilic**
		sel et poivre au goût
1 c. à café	**(5 ml)**	**sucre**
12 onces	**(360 g)**	**tofu coupé en tranches**
12 onces	**(360 g)**	**fromage gruyère**

Mode de préparation

1. Trancher à ½ pouce (1 cm) d'épaisseur sans peler, les 2 aubergines moyennes. Étaler les tranches sur une tôle et les saler abondamment afin de les dégorger. Mettre un poids sur les tranches d'aubergines pour en faire sortir le jus. Laisser reposer 30 minutes à une heure. Rincer.
2. Tremper les tranches dans du lait et les passer dans la panure. Les mettre au four dans une lèchefrite huilée peu profonde. Cuire 20 minutes à 375°F (190°C). Préparer la sauce.
3. Retourner les tranches d'aubergines, les arroser de sauce et garnir d'une tranche de tofu sur laquelle on mettra une tranche de fromage gruyère. Cuire encore 15 minutes.

Rouleaux aux épinards et au tofu

- 12 à 16 portions

Ingrédients

1 paquet		**pâte fillo ***
2 paquets		**épinards lavés et cuits**
1 c. à soupe	**(15 ml)**	**huile**
8 onces	**(240 g)**	**champignons coupés en tranches**
2		**oignons moyens coupés finement**
8 onces	**(240 g)**	**tofu brisé**
8 onces	**(240 g)**	**fromage cheddar râpé**
		jus de 1 citron
1½ c. à soupe	**(20 ml)**	**herbes salées**
		pincées de sel
		pincée de poivre
		pincée de sauge
		pincée de thym
1 tasse	**(250 ml)**	**beurre fondu**

Mode de préparation

1. Sauter les oignons et les champignons dans l'huile. Ajouter les épinards bien égouttés et coupés en petits morceaux, les épices, le jus de citron, le fromage, le tofu. Bien mélanger.
2. Badigeonner de beurre une feuille de pâte fillo * *. Ajouter 2 c. à soupe (30 ml) du mélange et faire un rouleau en fermant les deux extrémités. Badigeonner à nouveau de beurre pour que le rouleau ne se défasse pas durant la cuisson.
3. Placer les rouleaux dans un plat huilé, allant au four, et cuire à 350°F (180°C) de 12 à 15 minutes.

Remettre les feuilles en trop au réfrigérateur, et s'assurer qu'elles soient bien enveloppées.

** Pâte en feuilles très minces que l'on trouve dans les magasins d'aliments européens ou orientaux.*

** * Lorsque l'on prépare les rouleaux, conserver les feuilles couvertes d'un linge humide afin d'éviter qu'elles sèchent.*

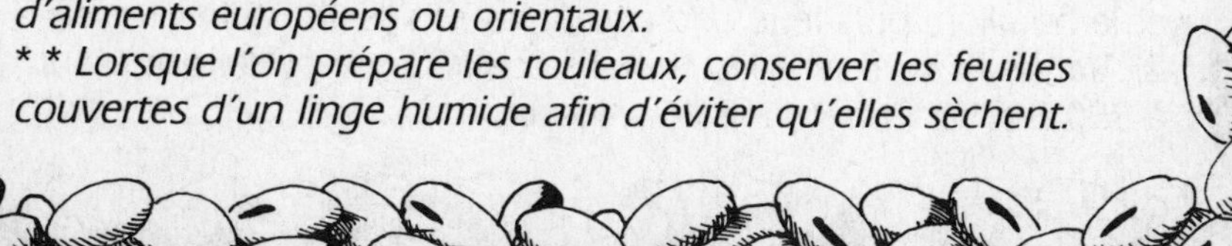

Chou farci au riz et au tofu

- 10 à 12 choux farcis

Ingrédients

1		chou moyen
REMPLISSAGE		
1		oignon coupé finement
1 gousse		ail coupée finement
2 c. à soupe	(30 ml)	noix d'acajou coupées
6 à 8		champignons coupés finement
1 tasse	(240 ml)	riz cuit
6 onces	(180 g)	tofu brisé
1 c. à soupe	(15 ml)	beurre
1 c. à café	(5 ml)	sel
		pincée de poivre, thym et sauge
SAUCE		
1 tasse	(250 ml)	jus de tomate
1 c. à soupe	(15 ml)	beurre
2 c. à soupe	(30 ml)	farine
1 tasse	(250 ml)	jus de légumes
		jus d'un demi-citron
2 c. à soupe	(30 ml)	raisins secs
1 c. à soupe	(15 ml)	miel
½ c. à café	(2 ml)	sel

Mode de préparation

1. Couper le coeur du chou et faire bouillir 5 à 10 minutes. Retirer les plus belles feuilles.
2. Sauter les oignons, l'ail, les noix d'acajou et les champignons dans le beurre. Ajouter les assaisonnements et mélanger avec le riz et le tofu.
3. Mettre 2 à 4 c. à soupe (30 à 60 ml) du remplissage dans le centre de la feuille de chou et rouler la feuille. Placer les rouleaux côte à côte dans un plat huilé, allant au four.

Préparation de la sauce

1. Faire fondre le beurre dans une casserole, ajouter la farine et le bouillon, puis le jus de citron, les raisins, le miel et le sel.
2. Verser la sauce sur les choux farcis. Couvrir et cuire au four à 350°F (180°C) pendant 45 minutes.

Canapés et hors d'oeuvre - pages 14-17
Crudités et trempette au tofu - page 40

Feuilles de vigne farcies au riz et tofu - page 16
Rouleaux aux épinards et tofu - page 63

Salade de maïs au tofu - page 31
Salade de pommes de terre au tofu - page 36

Vol-au-vent au tofu - page 73

Chop suey au tofu - page 74

Omelette au tofu - page 84

Tarte aux bananes au tofu - page 85

Crème d'ananas au tofu - page 92

Vol-au-vent au tofu

- 6 portions

Ingrédients

6		vol-au-vent

Sauce béchamel

3 c. à soupe	(45 ml)	beurre
3 c. à soupe	(45 ml)	farine
2 tasses	(500 ml)	lait
1		oignon coupé finement
6		champignons coupés
½ tasse	(125 ml)	pois congelés
6 onces	(180 g)	tofu brisé
1 c. à soupe	(15 ml)	poudre d'oignon
1 pincée		ail en poudre
1 c. à café	(5 ml)	sel
1 pincée		poivre

Mode de préparation

1. Cuire les vol-au-vent au four.

2. Faire une béchamel avec le beurre, la farine et le lait.

3. Frire les oignons, les champignons et les pois.

4. Ajouter les légumes à la béchamel. Assaisonner. Laisser mijoter de 15 à 20 minutes à feu moyen.

5. Remplir les vol-au-vent avec la sauce et servir.

Chop suey aux légumes et au tofu

- 4 à 6 portions

Ingrédients

1 c. à café	**(5 ml)**	**gingembre frais coupé finement**
1 gousse		**ail coupée finement**
2		**oignons tranchés en demi-lunes**
8 à 10		**champignons**
8 onces	**(240 g)**	**tofu**
3 c. à soupe	**(45 ml)**	**sauce soya**
		pincée de sel
		pincée de poivre
2 tasses	**(500 ml)**	**laitue chinoise coupée en languettes (ou endives)**
2 tasses	**(500 ml)**	**fèves germées**

Mode de préparation

1. Sauter le gingembre et l'ail, puis ajouter les oignons. Cuire 5 minutes.

2. Ajouter tous les ingrédients, sauf les fèves germées. Cuire 10 à 15 minutes

3. Ajouter les fèves germées et cuire 10 à 15 minutes.

4. Servir avec du riz.

Pâté impérial (egg roll)

- 12 pâtés

Ingrédients

8 onces	(240 g)	tofu coupé en petits cubes
1 c. à soupe	(15 ml)	huile de maïs ou de tournesol
2 c. à soupe	(30 ml)	sauce soya
2 tasses	(500 ml)	chou coupé fin
½ tasse	(125 ml)	céleri coupé finement
1		gros oignon coupé finement
½ c. à café	(2 ml)	sel
		poivre au goût
1 paquet		pâte à egg rolls congelée

Mode de préparation

1. Frire le tofu dans l'huile, y ajouter la sauce soya et bien le rôtir.

2. Mélanger tous les autres ingrédients, ajouter le tofu frit et laisser macérer pendant 15 à 20 minutes.

3. Mettre 2 c. à soupe (30 ml) du mélange dans le centre de chaque carré de pâte à egg roll. Badigeonner les bords de la pâte légèrement avec du blanc d'œuf.

4. Fermer et presser pour sceller les bords et les deux extrémités.

5. Laisser coller 2 à 3 minutes et frire les pâtés dans l'huile à friture à 350°F (180°C) jusqu'à ce qu'ils soient d'un brun doré.

6. Servir avec une sauce aux prunes.

Tarte aux légumes au tofu

- 6 portions

Ingrédients

1		piment
1 tasse	(250 ml)	oignons coupés finement
2 gousses		ail émincées
2 tasses	(500 ml)	brocoli et chou-fleur coupés
2 tasses	(500 ml)	fromage cheddar râpé
6 onces	(180 g)	tofu brisé
1 c. à soupe	(15 ml)	herbes salées
½ c. à café		thym
		pincée poudre d'ail
		sel et poivre au goût
1		fond de tarte cuit
1		abaisse de pâte non cuite

Mode de préparation

1. Sauter l'ail, l'oignon et le piment. Cuire le brocoli et le chou-fleur dans très peu d'eau.

2. Mélanger les légumes avec l'ail, les oignons et le piment.

3. Ajouter le fromage, le tofu, et les épices. Mélanger.

4. Verser dans un fond de tarte de 9 pouces (23 cm) cuit à l'avance et recouvrir d'une abaisse de pâte non cuite.

5. Cuire au four à 375°F (190°C) pendant 15 à 20 minutes.

6. Servir avec une sauce brune.

Piments verts farcis au riz et au tofu

- 6 portions

Ingrédients

6		**piments**

REMPLISSAGE:

1 tasse	**(250 ml)**	**riz cuit**
½ tasse	**(125 ml)**	**chapelure ou pain séché et moulu**
4 onces	**(120 g)**	**tofu brisé**
3 c. à soupe	**(45 ml)**	**beurre**
1 c. à café	**(5 ml)**	**sel**
		pincée de poivre
½ c. à café	**(2 ml)**	**sauge**
½ c. à café	**(2 ml)**	**thym**
1 c. à soupe	**(15 ml)**	**persil séché ou frais**
		jus d'un demi-citron
2 c. à soupe	**(30 ml)**	**noix de Grenoble brisées**
1 tasse	**(250 ml)**	**jus de légumes**

Mode de préparation

1. Couper l'extrémité des piments et en nettoyer l'intérieur. Les faire cuire dans 1 tasse (250 ml) d'eau bouillante pendant 5 minutes avant de les farcir.

2. Mélanger tous les autres ingrédients. Remplir les piments.

3. Placer les piments dans une casserole graissée ou huilée et cuire au four à 350°F (180°C) pendant 30 minutes.
On peut également gratiner les piments.

4. Servir avec une sauce aux tomates ou comme accompagnement d'un poisson ou d'une viande.

Nouilles au tofu en sauce béchamel

- 4 portions

Ingrédients

1 livre	**(480 g)**	**nouilles aux épinards**
8 onces	**(240 g)**	**tofu, coupé en petits cubes ou écrasé**
½ c. à café	**(2 ml)**	**thym**
		sel et poivre au goût
1 gousse		**ail émincée**
½ tasse	**(125 ml)**	**fromage râpé**

BÉCHAMEL

4 c. à soupe	**(60 ml)**	**beurre**
4 c. à soupe	**(60 ml)**	**farine**
2 tasses	**(500 ml)**	**lait**
1 c. à soupe	**(15 ml)**	**poudre d'oignon**
		pincée poudre d'ail
1 c. à soupe	**(15 ml)**	**persil frais haché fin**
4		**échalotes coupées finement**

Mode de préparation

1. Sauter le tofu dans un peu d'huile. Ajouter l'ail, le thym, le sel et le poivre. Mettre de côté.

2. Faire une béchamel avec le beurre, la farine et le lait. Ajouter les assaisonnements.

3. Cuire les nouilles à l'eau bouillante pendant 10 à 15 minutes. Égoutter.

4. Verser les nouilles dans un plat allant au four, ajouter les cubes de tofu et la béchamel. Saupoudrer de fromage.

5. Cuire au four à 350°F (180°C) pendant 20 minutes.

Macaroni au tofu

- 4 portions

Ingrédients

3 c. à soupe	**(45 ml)**	**huile**
3 gousses		**ail finement coupées**
2		**oignons**
6 onces	**(180 g)**	**tofu en petits cubes**
8		**champignons**
½ tasse	**(125 ml)**	**céleri haché**
1 c. à soupe	**(15 ml)**	**poudre d'oignon**
4 tasses	**(1 litre)**	**macaroni cuit**
3 c. à soupe	**(45 ml)**	**sauce soya**

Mode de préparation

1. Sauter l'ail et les oignons dans l'huile.

2. Ajouter le tofu, les champignons, le céleri et la poudre d'oignon.

3. Cuire 5 à 8 minutes.

4. Ajouter le macaroni cuit et la sauce soya. Cuire pendant 10 à 15 minutes sur feu doux.

5. Saler et poivrer au goût.

Spaghetti à l'huile d'olive et tofu

- 4 portions

Ingrédients

12 onces	**(360 g)**	**tofu coupé en cubes**
6 gousses		**ail coupées grossièrement**
½ tasse	**(125 ml)**	**huile d'olive**
16 onces	**(480 g)**	**spaghetti fin**
		sel et poivre au goût
		pincée de basilic
2 c. à table	**(30 ml)**	**persil coupé finement**
		fromage Parmesan

Mode de préparation

1. Cuire le spaghetti dans l'eau bouillante.

2. Frire dans l'huile d'olive l'ail et les cubes de tofu. Cuire jusqu'à ce qu'ils deviennent brun doré. Assaisonner au goût de sel, poivre et basilic.

3. Égoutter le spaghetti et y verser la préparation.

4. Servir avec du fromage Parmesan et du persil.

Sauce à spaghetti au tofu

- 4 portions

Ingrédients

2 c. à soupe	(30 ml)	huile
2 gousses		ail écrasées
2		oignons coupés
2		grosses tomates coupées
2		piments verts coupés
3 à 6		champignons tranchés
½		carotte rapée
½ tasse	(125 ml)	haricots coupés
3 tasses	(750 ml)	jus de tomate
1 feuille		laurier
16 onces	(480 g)	tofu brisé
½ tasse	(125 ml)	purée de tomate
3 c. à soupe	(45 ml)	huile d'olive
2 c. à soupe	(30 ml)	sel, poivre
		pincée de basillic, pincée de thym, pincée de origan
½ tasse	(125 ml)	Parmesan râpé
1 c. à soupe	(15 ml)	miel

Mode de préparation

1. Sauter l'ail et l'oignon dans l'huile. Ajouter les légumes et brasser durant 4 à 5 minutes.

2. Ajouter le jus de tomate, le laurier, le poivre, les herbes, le sel, la purée de tomate, l'huile et le tofu. Cuire à feu moyen pendant 1 heure. Ajouter 1 c. à soupe (15 ml) de miel et du sel si désiré.

VARIANTE

Dans votre sauce à spaghetti préférée, remplacer la moitié de la viande par une égale quantité de tofu écrasé.

Sauce aux tomates

- 1 litre

Ingrédients

4 c. à soupe	**(50 ml)**	**huile d'olive**
3 gousses		**ail émincées**
1 tasse	**(250 ml)**	**oignons coupés**
2 tasses	**(500 ml)**	**champignons coupés**
8 onces	**(240 g)**	**tofu en petits cubes**
4 tasses	**(1 litre)**	**tomates en conserve**
½ tasse	**(125 ml)**	**vin rouge sec (facultatif)**
1 c. à soupe	**(15 ml)**	**basilic**
2 c. à café	**(10 ml)**	**sel**
2 c. à café	**(10 ml)**	**origan et de thym**
1 c. à café	**(5 ml)**	**sucre**

Mode de préparation

1. Sauter dans l'huile l'ail, les oignons et les champignons pendant 5 à 6 minutes.

2. Ajouter le reste des ingrédients et cuire à feu doux pendant 40 à 50 minutes. Assaisonner à votre goût.

3. Verser sur des spaghettis, des légumes ou autre préparation de votre choix.

Crème de tofu et de légumes

- 4 à 6 portions

Ingrédients

2 tasses	**(500 ml)**	**riz**
4 tasses	**(1 litre)**	**eau**
½ tasse	**(125 ml)**	**huile de tournesol ou de maïs**
2		**gousses d'ail**
4		**bâtonnets de céleri**
4		**carottes moyennes coupées**
1		**oignon moyen coupé**
1 tasse	**(250 ml)**	**brocoli coupé en morceaux**
1 tasse	**(250 ml)**	**chou-fleur coupé**
½ tasse	**(125 ml)**	**eau**
		sel et poivre au goût
		pincée de basilic, thym et poudre d'oignon au goût
12 onces	**(360 g)**	**tofu**
1½ tasse	**(375 ml)**	**crème de champignons**
1½ tasse	**(375 ml)**	**eau**

Mode de préparation

1. Cuire le riz dans l'eau.

2. Sauter dans l'huile, l'ail, le céleri, les carottes et l'oignon jusqu'à ce que ces derniers soient transparents et tendres.

3. Ajouter alors le brocoli, le chou-fleur et l'eau. Assaisonner au goût. Laisser cuire jusqu'à ce que les légumes soient tendres.
4. Mélanger les légumes à la crème de champignons et à l'eau. Ajouter le tofu brisé.

5. Chauffer et laisser mijoter de 5 à 10 minutes. Servir sur le riz.

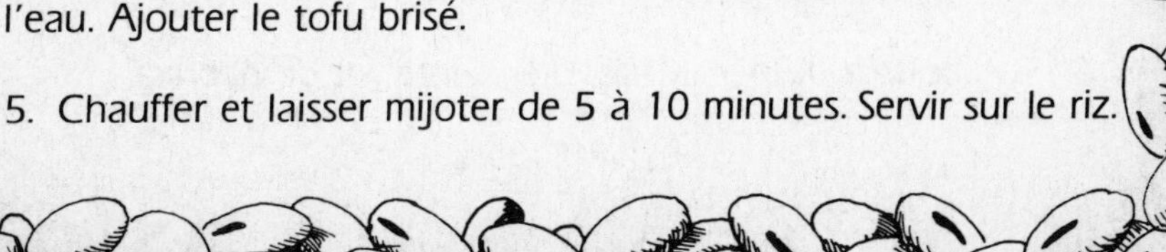

Omelette au tofu

• 4 portions

Ingrédients

4 c. à soupe		**huile**
2		**oignons coupés en tranches**
1		**piment vert coupé finement**
12		**champignons coupés en tranches**
¼		**chou-fleur coupé en petits morceaux**
½ c. à café	**(2 ml)**	**curcuma, thym, romarin**
1 c. à café	**(5 ml)**	**persil frais**
2 c. à soupe	**(30 ml)**	**herbes salées**
16 onces	**(480 g)**	**tofu écrasé**
3		**échalotes coupées**
½ tasse	**(125 ml)**	**gruyère râpé**
		paprika (facultatif)

Mode de préparation

1. Sauter dans 2 c. à soupe (30 ml) d'huile les légumes et ajouter 1 c. à soupe (15 ml) d'herbes salées.

2. Sauter dans 2 c. à soupe d'huile le tofu écrasé et ajouter 1 c. à soupe (15 ml) d'herbes salées et les épices. Cuire 5 à 6 minutes.

3. Mélanger le tofu aux légumes.

4. Saler si désiré.

5. Gratiner avec le gruyère râpé.

6. Saupoudrez de persil frais, d'échalotes et de paprika.

Tarte à la crème au tofu, bananes et amandes

- 6 portions

Ingrédients

1		fond de pâte à tarte

Remplissage

16 onces	(500 g)	tofu
2		bananes mûres
12		prunes sans noyau
⅓ tasse	(85 ml)	jus de prune
12		amandes
1 c. à café	(5 ml)	extrait de vanille
		jus d'un demi-citron
1 c. à soupe	(15 ml)	zeste de citron
⅓ tasse	(85 ml)	sirop d'érable

Mode de préparation

1. Préparer un fond de tarte de 9 pouces (23 cm). Cuire au four pendant 10 minutes à 450°F (230°C).

2. Mettre tous les ingrédients du remplissage dans le récipient du mélangeur (à vitesse moyenne) jusqu'à l'obtention d'une consistance lisse.

3. Verser le remplissage dans le fond de tarte. Cuire au four pendant 20 à 30 minutes à 300°F (150°C).

4. Refroidir et servir.

Tarte au chocolat et à la menthe

- 1 tarte

Ingrédients

20 onces	(620 g)	tofu
½ tasse	(125 ml)	sirop d'érable
2 à 4 c. à soupe	(30-60 ml)	miel
3 c. à soupe	(45 ml)	jus de citron
¼ tasse	(60 ml)	huile
2 c. à soupe	(30 ml)	cacao ou caroube
2 c. à soupe	(30 ml)	margarine ou beurre
¼ c. à café	(1 ml)	sel
2 à 3 gouttes		extrait de menthe
½ tasse	(125 ml)	noix de Grenoble
1 c. à soupe	(15 ml)	fécule de maïs
1 fond de tarte		biscuits Graham

Mode de préparation

1. Mélanger tous les ingrédients dans un grand bol.

2. Mettre dans le récipient du mélangeur, ⅓ de la préparation et (à vitesse moyenne) amener à une consistance crémeuse. Verser dans un autre bol. Répéter la même opération pour les deux autres tiers de la préparation.

4. Ajouter ½ tasse (125 ml) de noix de Grenoble moulues. Bien mélanger.

3. Verser dans le fond de tarte. Cuire au four à 350°F (180°C) pendant environ 40 minutes. Décorer de noix de coco râpée, ou d'autres noix au goût.

Tarte au chocolat et tofu

- 4 à 6 portions

Ingrédients

1 fond de tarte		**biscuits Graham**

Garniture

16 onces	**(480 g)**	**tofu**
⅓ tasse	**(85 ml)**	**huile de tournesol**
⅓ tasse	**(85 ml)**	**miel**
1½ c. à café	**(7 ml)**	**fécule de maïs**
1½ c. à café	**(7 ml)**	**vanille**
1½ c. à soupe	**(20 ml)**	**poudre de cacao**
		pincée de sel

Mode de préparation

1. Mélanger tous les ingrédients dans un mélangeur (à vitesse moyenne) jusqu'à l'obtention d'une consistance crémeuse.

2. Verser le mélange dans le fond de tarte et cuire à 350°F (180°C) pendant 30 minutes ou jusqu'à ce que votre doigt ne colle pas en touchant le dessus.

3. Refroidir 20 minutes avant de mettre au réfrigérateur.

Variante:

Utiliser la caroube au lieu de cacao.

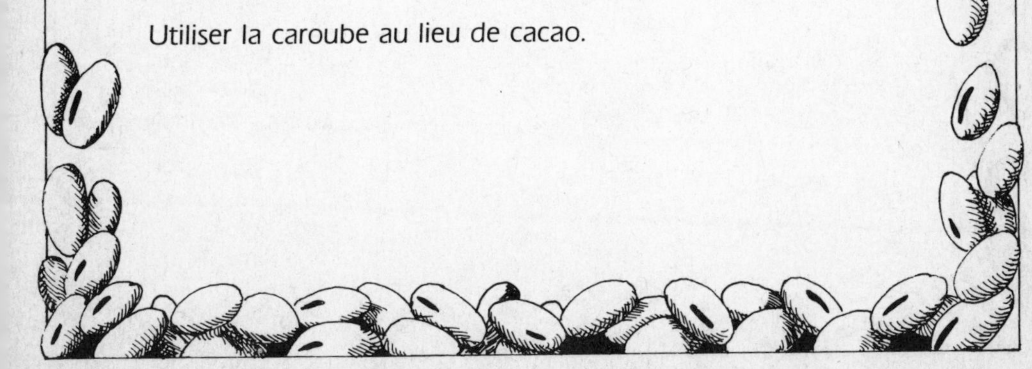

Gâteau au fromage de tofu

- 6 portions

Ingrédients

24 onces	**(720 g)**	**tofu**
½ tasse	**(125 ml)**	**sirop d'érable**
1 c. à soupe	**(15 ml)**	**vanille**
1 c. à soupe	**(15 ml)**	**zeste de citron**
3 c. à soupe	**(45 ml)**	**eau**
3 c. à soupe	**(45 ml)**	**beurre d'arachides**
1 c. à soupe	**(15 ml)**	**fécule de maïs**
½ c. à café	**(2 ml)**	**cannelle**
		pincée de sel
1 fond de tarte		**biscuits Graham**

Mode de préparation

1. Mettre tous les ingrédients dans le récipient du mélangeur (à vitesse moyenne) jusqu'à l'obtention d'une consistance lisse.

2. Verser dans un fond de tarte aux biscuits Graham.

3. Cuire au four pendant 40 à 50 minutes à 350°F (180°C) ou jusqu'à ce que le gâteau devienne brun doré.

4. Décorer avec des noix de Grenoble.

Pouding au riz et au tofu

- 4 portions

Ingrédients

12 onces	(360 g)	tofu
1 tasse	(250 ml)	riz cuit
1 tasse	(250 ml)	lait
½ tasse	(125 ml)	miel ou sirop d'érable
¼ c. à café	(1 ml)	sel
¼ c. à café	(1 ml)	cannelle
¼ de tasse	(60 ml)	raisins secs
1 c. à café	(5 ml)	huile de tournesol
3 c. à soupe	(45 ml)	noix de Grenoble hachées finement
2 c. à soupe	(30 ml)	beurre fondu

Mode de préparation

1. Chauffer le four à 350°F (180°C). Mélanger les sept premiers ingrédients dans un bol.

2. Huiler un plat à gratin de 9 pouces carrés (23 cm), y verser le mélange. Ajouter le beurre fondu.

3. Garnir avec les noix de Grenoble et cuire au four pendant 20 à 30 minutes.

Salade de fruits au tofu

- 4 portions

Ingrédients

6 onces	(180 g)	tofu en petits cubes
2 tasses	(500 ml)	pommes coupées en dés
½ tasse	(125 ml)	ananas en conserve ou frais
1		orange coupée en petits morceaux
¼ tasse	(60 ml)	noix de Grenoble
1 tasse	(250 ml)	yogourt
¼ tasse	(60 ml)	sucre ou miel ou sirop d'érable

Mode de préparation

Mélanger tous les ingrédients et sucrer selon votre goût (pas trop).

Salade de fruits au tofu et aux noix

- 4 portions

Ingrédients

2		bananes coupées en rondelles
¼ tasse	(60 ml)	amandes coupées
¼ tasse	(60 ml)	noix de Grenoble coupées
¼ tasse	(60 ml)	graines de tournesol
¼ tasse	(60 ml)	raisins secs
¼ tasse	(60 ml)	dattes coupées
¼ tasse	(60 ml)	noix de coco râpée
1½ à 2 tasses	(375-500 ml	crème fouettée au tofu (voir page 96)
3 c. à soupe	(45 ml)	germe de blé (facultatif)

Mode de préparation

1. Mélanger les sept premiers ingrédients dans le bol.
2. Servir dans des petits bols et recouvrir de crème fouettée.
3. Saupoudrer de germe de blé.

Crème d'ananas au tofu

4 portions

Ingrédients

1 tasse	**(250 ml)**	**morceaux d'ananas**
ou		
19 onces	**(540 g)**	**ananas en conserve sans le jus**
12 onces	**(360 g)**	**tofu**
3 c. à soupe	**(45 ml)**	**miel**
6 onces	**(180 g)**	**fromage à la crème**
4		**tranches d'ananas coupées en demies**
8 à 10		**cerises**

Mode de préparation

1. Mélanger les ananas, le tofu, le miel et le fromage à la crème dans le récipient du mélangeur (à vitesse moyenne) jusqu'à l'obtention d'une consistance crémeuse.

2. Décorer avec les demi-tranches d'ananas et les cerises, et servir la crème accompagnée de biscuits.

Crème fouettée aux bananes

- 4 portions

Ingrédients

6 onces	**(180 g)**	**tofu**
3		**petites bananes**
3		**cubes de glace**
3 c. à soupe	**(45 ml)**	**miel**
¼ tasse	**(60 ml)**	**germe de blé**
½ tasse	**(125 ml)**	**lait**
½ tasse	**(125 ml)**	**yogourt**
¼ c. à café	**(1 ml)**	**muscade**

Mode de préparation

1. Mettre tous les ingrédients dans le récipient du mélangeur et réduire en purée (à vitesse moyenne) jusqu'à l'obtention d'un consistance crémeuse.

2. Sucrer au goût et servir immédiatement.

Crème de fruits au tofu

- 4 portions

Ingrédients

12 onces	**(360 g)**	**tofu**
2 tasses	**(500 ml)**	**fraises ou fruits de votre choix (frais ou en conserve).**
3 c. à soupe	**(45 ml)**	**miel ou sucre**
1 tasse	**(250 ml)**	**yogourt**
2 c. à soupe	**(30 ml)**	**noix de Grenoble ou tournesol**

Mode de préparation

Mettre tous les ingrédients, à l'exception des noix, dans le récipient du mélangeur et réduire en purée (à vitesse moyenne) jusqu'à consistance crémeuse.

2. Servir dans de petites coupes à dessert. Garnir de noix.

Cette crème peut être servie sur des crêpes ou des gaufres.

Tofu fouetté en crème et yogourt

- 2 tasses (500 ml)

Ingrédients

12 onces	**(360 g)**	**tofu**
4 c. à soupe	**(60 ml)**	**miel ou sucre**
1 c. à café	**(5 ml)**	**vanille**
		jus d'un demi-citron
		pincée de sel
½ tasse	**(125 ml)**	**yogourt**

Mode de préparation

1. Combiner tous les ingrédients dans le récipient du mélangeur et réduire en purée (à vitesse moyenne) jusqu'à l'obtention d'une consistance crémeuse.

2. Servir dans une coupe à dessert et, garnir de noix de Grenoble, de noix de coco, ou de raisins sec.

Cette délicieuse crème peut être utilisée dans différentes recettes comme on se sert du yogourt.

Crème fouettée au tofu

2 tasses (500 ml)

Ingrédients

8 onces	**(240 g)**	**tofu**
4 c. à soupe	**(60 ml)**	**huile**
½ tasse	**(125 ml)**	**sucre**
1 c. à soupe	**(15 ml)**	**vanille**
		pincée de sel
1 c. à soupe	**(15 ml)**	**jus de citron**
½ tasse	**(125 ml)**	**lait**

Mode de préparation

1. Mettre le lait, l'huile et tous les ingrédients dans le récipient du mélangeur et réduire en purée (à vitesse moyenne) jusqu'à l'obtention d'une consistance crémeuse.

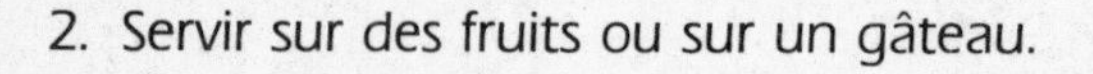

2. Servir sur des fruits ou sur un gâteau.

Glaçage à la crème et aux noix

- 3 tasses (750 ml)

Ingrédients

¾ tasse	**(185 ml)**	**tofu brisé**
1 tasse	**(250 ml)**	**crème 35%**
2 c. à soupe	**(30 ml)**	**beurre**
4 c. à soupe	**(60 ml)**	**miel**
1 c. à café	**(5 ml)**	**vanille**
1 tasse	**(250 ml)**	**noix de Grenoble**

Mode de préparation

1. Mettre tous les ingrédients dans le récipient du mélangeur, à l'exception des noix. Réduire en purée (à vitesse moyenne) jusqu'à l'obtention d'une consistance crémeuse.

2. Ajouter les noix et décorer le gâteau de votre choix.

Glaçage au tofu pour gâteau

- 1 tasse (250 ml)

Ingrédients

6 onces	**(180 g)**	**tofu brisé**
6 onces	**(180 g)**	**fromage à la crème**
4 c. à soupe	**(60 ml)**	**miel**
2 c. à soupe	**(30 ml)**	**lait (ou un peu plus)**
½ c. à café	**(2 ml)**	**vanille**
1½ c. à soupe	**(20 ml)**	**zeste de citron**
		pincée de sel

Mode de préparation

1. Mettre le tout dans le récipient du mélangeur (à vitesse moyenne). Réduire en purée jusqu'à l'obtention d'une consistance crémeuse.

2. Réfrigérer.

3. On peut ajouter du caroube ou du chocolat.

4. Glacer le gâteau ou les biscuits.

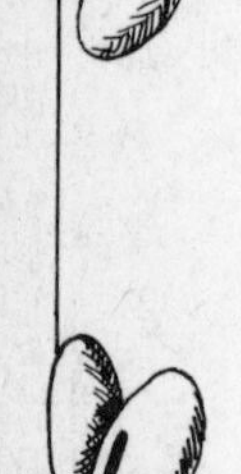

Glaçage au chocolat ou au caroube

- 3 tasses (750 ml)

Ingrédients

8 onces	**(240 g)**	**fromage à la crème**
8 onces	**(240 g)**	**tofu brisé**
2 carrés		**chocolat mi-sucré**
¼ tasse	**(60 ml)**	**beurre**
¼ tasse	**(60 ml)**	**lait**
1 tasse	**(250 ml)**	**cassonade**
1 c. à café	**(5 ml)**	**vanille**

Mode de préparation

1. Mettre tous les ingrédients dans le récipient du mélangeur et réduire en purée (à vitesse moyenne) jusqu'à l'obtention d'une consistance crémeuse. Si le glaçage est trop épais, ajouter un peu de lait.

2. Décorer le gâteau et saupoudrer de noix de coco.

Lait frappé à l'orange

- 4 tasses (1 litre)

Ingrédients

12 onces	(375 ml)	jus d'orange
4 onces	(120 g)	tofu brisé
4 onces	(125 ml)	yogourt
		pincée de curcuma
2 c. à soupe	(30 ml)	miel
1 tasse	(250 ml)	lait

Mode de préparation

1. Mettre tous les ingrédients dans le récipient du mélangeur et réduire en purée (à vitesse moyenne) jusqu'à l'obtention d'une consistance crémeuse.

2. Servir très froid.

Lait frappé aux pêches

- 3 tasses (750 ml)

Ingrédients

2		**pêches**
1 c. à café	**(5 ml)**	**vanille**
3 c. à soupe	**(45 ml)**	**miel**
3 tasses	**(750 ml)**	**lait de soya ou lait de vache**
4 onces	**(120 g)**	**tofu**

Mode de préparation

1. Mettre tous les ingrédients dans le récipient du mélangeur, réduire en crème (à vitesse moyenne).

2. Servir très froid.

Achevé d'imprimer
en février mil neuf cent quatre-vingt-deux
sur les presses de l'Imprimerie Gagné Ltée
Louiseville - Montréal.
Imprimé au Canada